Johann Sebastian Bach
(1685-1750)

Johannes-Passion

Klavierauszug · Vocal score · Chant et piano

Herausgegeben und Klavierauszug von
Edited and piano reduction by · Edité et piano reduction par
István Máriássy

K 2001
Könemann Music Budapest

Als Quellen der vorliegenden Ausgabe dienten die autographen Partitur und Stimmen der Johannes-Passion sowie ihre zeitgenössischen Abschriften. Diese Quellen lagen der Veröffentlichung aller Singstimmen dieser Ausgabe zugrunde, wobei aber ihre offensichtlichen Schreib- und Notenfehler berichtigt wurden.

Der Notentext des Klavierauszugs basiert auf den gleichen zeitgenössischen Quellen.

Die Balkensetzung der Singstimmen in der vorliegenden Ausgabe folgt den allgemeinen Regeln des gegebenen Metrums. Die Eindeutigkeit der Textunterlegung ist durch gestrichelte Bögen gewährleistet überall, wo es ursprünglich keinen gegeben hat.

Die im Appendix mitgeteilten Sätze wurden in den verschiedenen zeitgenössischen Aufführungen – nach Bachs Absichten – vorgetragen bzw. weggelassen. Die laufenden Nummern ermöglichen, sie auch in die modernen Aufführungen einzufügen.

Die Numerierung der Sätze stimmt mit der modernen Ausgaben überein.

ANMERKUNGEN

10. Evangelista. Die Bachsche Partiturreinschrift, die wahrscheinlich die endgültige Fassung darstellt, bricht in T. 42 dieses Satzes ab. Der Kopist, der die Arbeit fortsetzte, verwechselte aber die Rhythmuswerte. Der hier veröffentlichten Rekonstruktion diente die Vertonung analoger Textteile zum Muster.

13. Aria. Der Grundrhythmus dieses Satzes erscheint in den einzelnen Quellen unterschiedlich und inkonsequent sogar innerhalb derselben Quelle. Die Rhythmusnotation wurde in der vorliegenden Ausgabe vereinheitlicht.

19. Arioso. Bach arbeitete die ursprünglich für Laute geschriebene obligate Begleitsstimme für ein Tasteninstrument um. Der Text der vorliegenden Ausgabe enthält diese Fassung.

24. Aria. Die einheitliche Thematik dieses Satzes ist in den Manuskripten ziemlich konsequent mit zweierlei Artikulationen notiert. Dies scheint absichtlich und bewußt zu sein: In den Ritornells ist *forte* mit *non legato,* und das die Melismen der Singstimme kontrapunktierende Thema mit *legato* und *piano* verbunden. Einige ergänzende Vortragszeichen wurden in diesem Sinne ersetzt.

27b. Chorus. Ab T. 36 verwendete Bach im Laufe der Vertonung des Wortes "losen" einheitlich einen Quintensprung, zwischen T. 13 und T. 30 dagegen abwechselnd Oktave, Septime oder Prime. Die vorliegende Ausgabe behält die ursprüngliche Fassung.

39. Chorus. Die Quellen enthalten eine ungewöhnlich große Anzahl von Phrasierungszeichen. Obwohl sie nicht immer genau angebracht sind, kann die Absicht des Komponisten gut abgelesen werden. Deshalb wurden die wenigen Bögen, die in den Quellen nicht vorhanden waren, in dem ganzen Satz ersetzt.

40^{II}. Chorus. Die in der Quelle unvollständige Continuostimme wurde ab T. 51 auf Grund desselben Satzes der Kantata *Du wahrer Gott,* BWV 23, ergänzt.
Die Continuostimme der Sätze 11^{+}, 13^{II}, 19^{II} enthält keine Bezifferung. Die ausgesetzte Fassung stammt vom Herausgeber.

Der Aufführungspraxis entsprechend kommen in dem vorliegenden Klavierauszug kurze Noten- und Pausenwerte im Baß der Rezitative vor. (In der ursprünglichen Notation sind ausgehaltene Töne und Bindungen zu finden.)

Der Klavierauszug des ersten Chorsatzes ist particellartig gestaltet. Bei den Proben kann es genügen, bloß die zwei unteren Systeme zu spielen, aber eine dritte, helfende Hand kann auch die ausgehaltenen Töne der Bläser aus dem oberen System gelegentlich mit Oktavtranspositionen dazu spielen. Mit den üblichen Kompromissen (Oktavzerlegungen, Pedalgebrauch, usw.) können sogar alle Töne der drei Systeme vorgetragen werden.

The sources for the present edition were the autograph score and parts of the St John Passion together with contemporary copies of them. These served as the basis for editing the vocal parts, save that evident errors and slips of the pen were emended. The same contemporary sources were used to edit the music of the vocal score. In the present edition note beams in the vocal parts follow the generally accepted rules of a given metre. Broken ties have been used to clarify the text underlay in places where originally there were none.

In the contemporary performances of the work the movements included in the Appendix were, following Bach's wishes, either performed or omitted. Their numbering allows for them to be integrated into present-day performances as well.

The numbering of movements follows that used in modern editions.

NOTES

10. Evangelist. Bach's fair copy of the score, which is possibly the final draft, breaks off at bar 42 of this movement. The copyst who continued the work confused some of the rhythm values. The reconstruction published here is modelled on the musical setting of analogous text sections.

13. Aria. The basic rhythm of this movement differs in the various sources, and is inconsistent even within the same source. In the present edition the notation has, however, been standardized.

19. Arioso. Bach later rewrote for keyboard the obbligato accompaniment of this movement written originally for lute. The present edition contains this version.

24. Aria. In the manuscripts the homogeneous theme of this movement is notated fairly consistently with two kinds of articulation which seems to be a deliberate, conscious action. In the ritornellos the *forte* is associated with *non legato,* and the theme in counterpoint to the melismas of the voice part is associated with *legato* and *piano.* Some supplementary expression marks have been added in keeping with this.

27b. Chorus. On setting to music the word *losen* Bach consistently used the leap of a fifth from bar 36 onwards and alternated octave, seventh and unison intervals between bars 13 and 30. The present edition has left the original setting unchanged.

39. Chorus. Phrase marks occur unusually abundantly in the sources. Though their positioning is not always precise, the composer's intention can be clearly discerned. Consequently, throughout the movement the few slurs and ties missing in the sources have been replaced.

40^{II}. Chorus. The continuo part is incomplete in the source. It has been added from bar 51 onwards in conformity with the identical movement of the cantata *Du wahrer Gott,* BWV 23.

In Nos. 11^{+}, 13^{II} and 19^{II} the continuo part has no bass figures. The continuo part given here is editorial.

Conforming with performance practice in the present vocal score the bass of the recitatives has short notes and rests. (The original notation has sustained notes and ties.)

The piano part of the opening chorus is given here in short score. For rehearsal it may be sufficient to play the two lower staves only, the sustained notes of the wind instruments in the upper staff being perhaps added by a third hand (occasionally in octave transposition). All three staves can be performed by means of the usual compromises (breaking chords, using the pedal, etc.).

La présente édition de la Passion selon Saint Jean a pour source la partition, voix et parties autographes, ainsi que leurs copies d'époque. C'est à la base de celles-ci que nous publions toutes les parties vocales, en prenant soin de rectifier toutes les erreurs et fautes de copie évidentes décelées. Ce sont ces mêmes sources d'époque qui ont servi de base au texte de la réduction pour piano.

La disposition des barres des parties vocales de notre édition suit les règles usuelles propres au mètre donné. La disposition univoque des textes de chant est aussurée par des liaisons en pointillé tout partout, où cela ne figurait pas à l'origine.

Au cours des différentes exécutions de l'œuvre en son temps, les mouvements figurant dans l'Appendix furent, ou ne furent pas joués, selon la volonté de J.S. Bach. Grâce à leurs numéros d'ordre, il est possible de les insérer et de les replacer dans l'œuvre lors de son exécution moderne.

La numérotation des mouvements correspond avec celle figurant dans les éditions modernes.

NOTES

10. Evangeliste. La mise au net de la partition de J.S. Bach, nous donnant vraisemblablement une version définitive du compositeur, s'interrompt à la 42ème mesure de ce mouvement. Le copiste qui a poursuivi le travail a confondu les valeurs de rythme. La reconstitution ci-présente a choisi comme exemple de mettre en musique des extraits de textes analogues.

13. Air. Le rythme de base de ce mouvement figure de manière différente dans les diverses sources, qui l'écrivent elles-mêmes de façon non consécutive. Notre édition a uniformisé son écriture.

19. Arioso. La partie d'accompagnement de ce mouvement, écrite à l'origine pour luth obligé, a été arrangée ultérieurement par J.S. Bach lui-même pour instrument à clavier. C'est cette version que nous publions dans notre édition.

24. Air. Dans la notation des différents manuscrits, la thématique unie de ce mouvement se retrouve de façon assez conséquente sous deux sortes d'articulations différentes. Cela semble être intentionnel et volontaire. Dans les ritournelles les *forte* apparaissent avec des *non legato,* et le thème contrepointant les mélismes des parties vocales s'accompagne avec des *legato* et des *piano*. C'est dans cet esprit que nous avons rajouté quelques signes d'interprétation complémentaires.

27b. Chœur. Pour mettre en musique le mot "losen", J.S. Bach s'est servi unanimement de sauts de quintes à partir de la 36ème mesure, tandis qu'entre les 13ème et 30ème mesures, il a utilisé successivement l'octave, la septième ou l'unisson. Notre édition n'a rien changé quant à ces notations originales.

39. Chœur. Les sources contiennent un nombre inhabituel de liaisons de phrasé. Bien que leur disposition ne soit pas toujours exacte, l'intention du compositeur est claire. C'est en tenant compte de cela que, dans l'intégralité du mouvement, nous avons rajouté les quelques liaisons ne figurant pas dans les sources.

40^{II}. Chœur. Dans les sources, la partie du continuo est incomplète, nous l'avons complété à partir de la 51ème mesure en se basant sur le même mouvement qu'on retrouve dans la Cantate N° BWV 23 (*Du wahrer Gott*).

Dans les parties de continuo des mouvements 11^{+}., 13^{II}. et 19^{II}. on ne trouve pas de chiffrage. La version publiée est celle de l'éditeur.

Conformément à la pratique artistique, les basses des récitatifs de la présente réduction pour piano comportent des valeurs et des silences courts. (La version originale contient des notes et des liaisons soutenues).

Nous faisons paraître en forme de particelle la réduction pour piano du Chœur d'ouverture. Lors des répétitions il se peut qu'il soit suffisant de ne jouer que les deux portées inférieures, une troisième main peut cependant venir en aide en jouant les notes soutenues des instruments à vent et figurant dans la portée supérieure, éventuellement avec une transposition à l'octave. Avec les compromis habituels (accords arpèges, utilisation de pédales, etc.) toutes les notes des trois portées peuvent être jouées.

Passionis personae:

Evangelista . . . . (Tenore)

Jesus . . . . (Basso)

Petrus . . . . (Basso)

Pilatus . . . . (Basso)

Ancilla . . . . (Soprano)

Servus . . . . (Tenore)

INDEX

I

II

Appendix

Johannes-Passion

I

J.S. Bach
(1685-1750)

6

Got - tes - sohn, zu al - ler Zeit, auch in der größ - ten Nie - drig -

wah - re Got - tes - sohn, zu al - ler Zeit, auch in der größ - ten Nie - drig -

Got - tes - sohn, zu al - ler Zeit, auch in der größ - ten Nie - drig -

- tes - sohn, zu al - ler Zeit, auch in der größ - ten Nie - drig -

keit, ver - herr - - - - - - -

keit, ver - herr - - - - - - -

keit, ver - herr - - - - - - - licht

keit, ver - herr - - - - - - - licht

Da Capo

2a Evangelista, Jesus

Ev. Je-sus ging mit sei-nen Jün-gern ü-ber den Bach Ki-dron, da war ein Gar-te, dar-ein ging Je-sus

und sei-ne Jün-ger. Ju-das a-ber, der ihn ver-riet, wuß-te den Ort auch, denn Je-sus versammle-te sich oft daselbst mit

sei-nen Jün-gern. Da nun Ju-das zu sich hat-te ge-nom-men die Schar und der Ho-hen-prie-ster und

Pha-ri-sä-er Die-ner, kommt er da-hin mit Fak-keln, Lam-pen und mit Waffen. Als nun Je-sus wuß-te al-les, was

ihm be-geg-nen soll-te, ging er hin-aus und sprach zu ih-nen: Sie ant-wor-te-ten

Jesus Wen su-chet ihr?

2e Evangelista, Jesus

Ev. Je-sus ant-wor-te -te:

Jesus Ich habs euch gesagt, daß ichs sei, su-chet ihr denn mich, so las-set die-se ge-hen!

3 Choral

S. O gro-ße Lieb, o Lieb ohn al-le Ma-ße, die dich ge-bracht auf die-se Mar-ter-

A.

T. O gro-ße Lieb, o Lieb ohn al-le Ma-ße, die dich ge-bracht auf die-se Mar-ter-

B.

stra-ße! Ich leb-te mit der Welt in Lust und Freu-den, und du mußt lei-den.

stra-ße! Ich leb-te mit der Welt in Lust und Freu-den, und du mußt lei-den.

18

K 2001

5 Choral

6 Evangelista

7 Aria

47 Mich von al - - len La - - ster - beu - - len

51 völ - lig zu hei - len, völ - lig zu hei - - len,

55 mich von al - - len La - - ster - beu - - len

59 völ - lig, völ - lig, völ - lig zu hei - - len, völ - lig zu hei -

63 len, völ-lig zu hei - - len, läßt er sich ver - wun - - den.

1) orig: ♪♪♪ , cfr. 33, 35

8 Evangelista

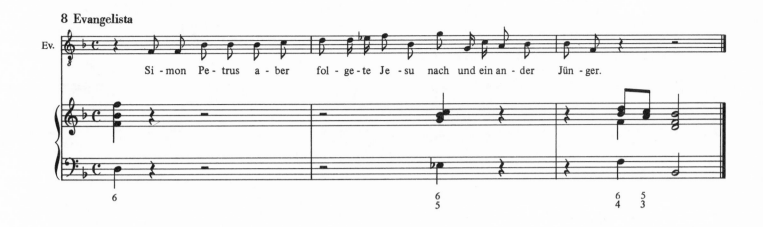

Si - mon Pe - trus a - ber fol - ge - te Je - su nach und ein an - der Jün - ger.

9 Aria

Ich fol - ge dir gleich-falls mit freu - di - gen Schrit-ten,

ich fol - ge dir gleich-falls mit freu - di - gen

Schrit - ten und las - se dich nicht, mein Le - ben, mein Licht, und las - se dich nicht, mein

Le - ben, mein Licht, und las - se dich nicht, mein Le - - ben, mein Licht.

Be -

för - dre den Lauf und hö - re nicht auf, be - för - dre den Lauf und hö - re nicht

1) var:

auf, selbst an mir zu zie-hen, zu schie-ben, zu bit-ten, selbst an mir zu zie-hen, zu

schie - - - ben, zu bit - - ten;

be - för - dre den Lauf und hö - re nicht auf, be - för - dre den

Lauf und hö - re nicht auf, hö-re nicht auf,   hö-re nicht auf,   hö-re nicht

auf, selbst an mir zu zie-hen, zu schie-ben, zu bit-ten, selbst an mir zu zie-

-hen, zu schie- - -ben, zu bit- -ten, hö-re nicht auf,

hö-re nicht auf, selbst an mir zu zie-hen, zu schie- - -ben, zu bit-

ten! Ich fol-ge dir gleich-falls mit

freu-di-gen Schrit-ten, ich fol-ge dir

2) var:

gleich-falls mit freu-di-gen Schrit-ten und las-se dich nicht, mein Le-ben, mein

Licht; ich fol - - - - - - ge dir gleich-falls mit

freu-di-gen Schrit-ten und las-se dich nicht, mein Le-ben, mein Licht, mein

Le-ben, mein Licht, und las-se dich nicht, mein Le - ben, mein Licht, mein Le - - ben, mein

Licht.

10 Evangelista, Ancilla, Petrus, Jesus, Servus

Der-sel-bi-ge Jün-ger war dem Ho-hen-prie-ster be-kannt und

ging mit Je-su hin-ein in des Ho-hen-prie-ster Pa-last. Pe-trus a-ber stund drau-ßen vor der

Tür. Da ging der an-de-re Jün-ger, der dem Ho-hen-prie-ster be-kannt war, hin-aus und

re-de-te mit der Tür-hü-te-rin und füh-re-te Pe-trum hin-ein. Da sprach die Magd, die

1) orig: für

Leh - re. Je - sus ant - wor - te - te ihm:

Ich ha - be frei, öf - fent - lich ge - re - det für die

Welt. Ich ha - be al - le - zeit ge - leh - ret in - der Schu - le und in dem Tem - pel, da al - le Ju - den zu - sam - men -

kom - men, und ha - be nichts im Ver - borg - nen ge - redt. Was fra - gest du mich dar -

um? Fra - ge die dar - um, die ge - hö - ret ha - ben, was ich zu ih - nen ge - re - det ha - be!

11. Choral

S.
1. Wer hat dich so ge - schla - gen, mein Heil, und dich mit Pla - gen so ü - bel zu - ge -
2. Ich, ich und mei - ne Sün - den, die sich wie Körn - lein fin - den des San - des an dem

A.

T.
1. Wer hat dich so ge - schla - gen, mein Heil, und dich mit Pla - gen so ü - bel zu - ge -
2. Ich, ich und mei - ne Sün - den, die sich wie Körn - lein fin - den des San - des an dem

B.

richt'? Du bist ja nicht ein Sün - der, wie wir und uns - re Kin - der, von Mis - se - ta - ten weißt du nicht.
Meer, die ha - ben dir er - re - get das E - lend, das dich schlä - get, und das be - trüb - te Mar - ter - heer.

richt'? Du bist ja nicht ein Sün - der, wie wir und uns - re Kin - der, von Mis - se - ta - ten weißt du nicht.
Meer, die ha - ben dir er - re - get das E - lend, das dich schlä - get, und das be - trüb - te Mar - ter - heer.

12a. Evangelista

Ev.
Und Han - nas sand - te ihn ge - bun - den zu dem Ho - hen - prie - ster Ka - i - phas. Si - mon

6   5   7   6
        5

36

12c Evangelista, Petrus, Servus

13 Aria tutti gli stromenti

Ach, mein Sinn, ach, mein Sinn, wo willst du end-lich hin, wo soll ich mich er-quik- -ken, ach, wo

soll ich mich er - quik - ken; ach, mein Sinn, wo willt du end - lich

hin, ach, mein Sinn, wo willt du end - lich hin, ach, mein Sinn, wo willt du end - lich

hin, wo willt du end - lich hin, ach, mein Sinn, wo willt du end - lich hin, wo soll ich mich er-

quik - ken, wo willt du end - lich hin, wo - hin, wo soll ich mich er-

quik - ken, wo, wo soll ich mich er - quik - ken?

Bleib ich hier, o - der wünsch ich mir Berg und Hü - gel auf den Rük - ken, bleib ich hier, bleib ich hier, o - der wünsch ich mir Berg und Hü - gel auf den Rük - ken? Bei der Welt ist gar kein Rat, und im Her - zen stehn die Schmer - zen

14 Choral

Petrus, der nicht denkt zu-rück, sei-nen Gott ver-nei-net, der doch auf ein'

Petrus, der nicht denkt zu-rück, sei-nen Gott ver-nei-net, der doch auf ein'

ern-sten Blick bit-ter-li-chen wei-net. Je-su, blik-ke mich auch an, wenn ich nicht will

ern-sten Blick bit-ter-li-chen wei-net. Je-su, blik-ke mich auch an, wenn ich nicht will

bü-ßen; wenn ich Bö-ses hab ge-tan, rüh-re mein Ge-wis-sen!

bü-ßen; wenn ich Bö-ses hab ge-tan, rüh-re mein Ge-wis-sen!

15 Choral

16c Evangelista, Pilatus

17 Choral

18b Chorus

S. Nicht die - sen, die - sen nicht, nicht die - sen, son - dern Bar - ra -

A. Nicht die - sen, die - sen nicht, nicht die - sen, son - dern Bar - ra -

T. Nicht die - sen, die - sen nicht, nicht die - sen, son - dern Bar - ra -

B. Nicht die - sen, die - sen nicht, nicht die - sen, son - dern

bam, nicht die - sen, son - dern Bar - ra - bam, Bar - ra - bam!

bam, nicht die - sen, son - dern Bar - ra - bam, Bar - ra - bam!

bam, nicht die - sen, son - dern Bar - ra - bam, Bar - ra - bam!

Bar - ra - bam, nicht die - sen, son - dern Bar - ra - bam. Bar - ra - bam!

18c Evangelista

Ev. Bar - ra - bas a - ber war ein Mör - der. Da nahm Pi - la - tus Je - sum und gei -

56 K 2001

19 Arioso

Betrachte, meine Seel, mit ängstlichem Vergnügen, mit bittrer Lust und halb beklemmtem Herzen dein höchstes Gut in Jesu Schmerzen, wie dir auf Dornen, so ihn stechen, die Himmelsschlüsselblumen blühn! Du kannst viel süße Frucht von seiner Wermut brechen, drum

1) var.: ♪♪♪♪♪ , *sim.* 2) var.: ♪♪♪♪♪

12

sich ohn Un-ter-laß auf ihn, auf ihn, drum sieh ohn Un-ter-laß auf ihn, ohn Un-

15

-ter-laß, drum sieh ohn Un-ter-laß auf ihn!

20 Aria

Tenore solo

(2 Viole d'amore)

4

Er - wä - ge, er - wä - ge,

3) var.: 4) var.:

steht, als Got - tes Gna - - den- zei - chen steht,

dar - an, nach- dem die Wasser- wo - - - gen von uns - rer

Sünd - flut sich ver- zo - - - - - - gen, der

al - ler- schön - ste Re - gen- bo - - - -

21a Evangelista

Und die Kriegs-knech-te floch-ten ei-ne Kro-ne von Dor-nen und satz-ten sie auf sein Haupt und

22 Choral

Durch dein Ge-fäng-nis, Got-tes Sohn, muß uns die Frei-heit kom - men;
Dein Ker-ker ist der Gna-den-thron, die Frei-statt al - ler From - men;

23a Evangelista

23b Chorus

23e Evangelista, Pilatus

24 Aria [&Chorus]

84

eilt, nach Gol - ga - tha!

wo-hin?

Neh - met an des Glau - bens Flü - gel, neh - - met an des Glau-bens

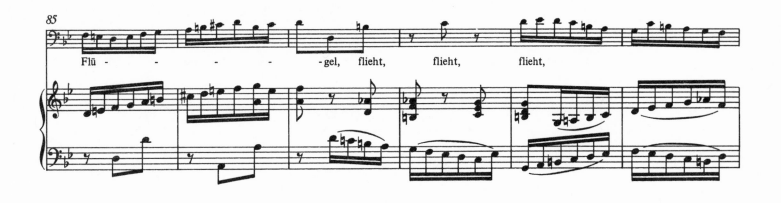

Flü - - - - - gel, flieht, flieht, flieht,

flieht,

wo-hin? wo-hin? wo - hin? wo-hin? wo-hin?

flieht, flieht zum Kreu - zes - hü - - - gel, flieht

wo-hin? wo-hin? wo-hin?

zum Kreu - zes - hü - gel, eu — - re Wohl — - fahrt blüht

wo-hin?

all - da, eu - re Wohl - fahrt blüht

all - - da!

Eilt, ihr an - ge-focht - nen

eilt, ... eilt, ... wo-hin? wo-hin? wo-hin? wo-hin?

eilt, eilt nach Gol - ga-tha, wo-hin? wo-hin? wo-hin? wo-hin?

eilt nach Gol - ga - tha! wo-hin?

25a Evangelista

Ev. All-da kreu-zig-ten sie ihn, und mit ihm zween andere zu bei-den Sei-ten, Je-sum a-ber mit-ten in-ne.

Pi-la-tus a-ber schrieb eine Ü-berschrift und satz-te sie auf das Kreuz, und war geschrieben: Je-sus von Na-za-reth,

adagio

[recitativo]

der Jü-den Kö-nig. Diese Überschrift la-sen viel Jüden, denn die Stätte war nahe bei der Stadt, da Jesus ge-kreu-zi-get ist.

25b Chorus

27

ha - be, daß er ge-sa - - get | ha - be: Ich bin der Jü - den

be, daß er ge-sa - get, ge-sa-get | ha - be: Ich bin der Jü - den

be, daß er ge-sa - get, ge-sa-get | ha - be: Ich bin der Jü - den

ha - be: Ich bin der Jü-den Kö - nig, ich bin der Jü - den

25c Evangelista, Pilatus

29

Ev.

Pi - la - tus ant-wor - tet:

Pilatus

Was ich ge-schrie-ben ha - be, das ha - be ich ge-schrie-ben.

Kö - nig.

Kö - nig.

Kö - nig.

Kö - nig.

26 Choral

In mei - nes Her - zens Grun - de, dein Nam und Kreuz al - lein
fun - kelt all Zeit und Stun - de, drauf kann ich fröh - lich sein. Er - schein mir in dem

In mei - nes Her - zens Grun - de, dein Nam und Kreuz al - lein
fun - kelt all Zeit und Stun - de, drauf kann ich fröh - lich sein. Er - schein mir in dem

Bil - de zu Trost in mei - ner Not, wie du, Herr Christ, so mil - de dich hast ge - blut' zu Tod!

Bil - de zu Trost in mei - ner Not, wie du, Herr Christ, so mil - de dich hast ge - blut' zu Tod!

27a Evangelista

Die Kriegs-knech-te a - ber, da sie Je-sum ge-kreu-zi-get hat-ten, nahmen seine Klei-der und mach-ten vier Tei-le,

ei-nem jeg - li-chen Krie-ges-knech - te sein Teil, da-zu auch den Rock. Der Rock a - ber war un-ge-

nä - het, von o - ben an ge - wür-ket durch und durch. Da spra-chen sie un - ter - ein-an - der:

27b Chorus

S.

A.
Las - set uns den nicht zer -

T.
Las - set uns den nicht zer - tei - - -

B.
Las - set uns den nicht zer - tei - - - -len, son-dern dar - um

non legato

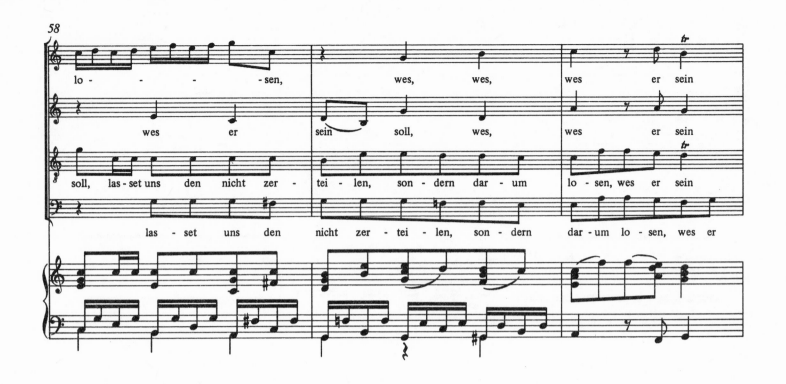

27c Evangelista, Jesus

28 Choral

S., A., T.: Er nahm al-les wohl in acht in der letz-ten Stun -de, sei - ne Mut-ter
noch be-dacht, setzt ihr ein' Vor - mun -de. O Mensch, ma-che Rich - tig - keit, Gott und Men-schen
lie - be, stirb dar-auf ohn al - les Leid, und dich nicht be - trü - be!

Es ist voll - bracht, es ist voll - bracht! O Trost vor die ge-kränk - ten See - len, o Trost, o Trost, es ist voll - bracht! O Trost vor die ge-kränk-ten See - - - len!

1) var:

und schließt den Kampf,   und schließt den Kampf.   Es ist voll - bracht,

es ist voll - bracht!

31 Evangelista

Ev.

Und neig - te das Haupt und ver - schied.

K 2001

109

32 Aria [&Chorus]

Mein teu - rer Hei-land, laß dich

fra - gen, laß dich fra - gen, teu-rer Hei - land, laß dich fra - gen, laß dich fra - gen, teu-rer Hei - land, laß dich

S. Je - su, der du wa - rest tot,

A. Je - su, der du wa - rest tot,

T. Je - su, der du wa - rest tot,

B. Je - su, der du wa - rest tot,

fra - gen,

da du nun-mehr ans Kreuz ge-

1) ossia: [musical notation]

da, al-ler Welt Er-lö - - - sung da, al-ler Welt Er-lö - - - - - -

als zu dir, der mich ver -

als zu dir, der mich ver -

als zu dir, der mich ver -

als zu dir, der mich ver -

- sung da, al - ler Welt Er - lö - sung da? Du kannst vor

sühnt, o du lie - ber Her - - re!

sühnt, o du lie - ber Her - - re!

sühnt, o du lie - ber Her - - re!

sühnt, o du lie - ber Her - - re!

31

Schmer -zen zwar nichts sa-gen, vor Schmer - - - - -zen zwar nichts sa-gen, vor Schmer - zen zwar nichts

Gib mir

Gib mir

Gib mir

Gib mir

34

sa-gen; doch nei-gest du das Haupt, das Haupt, doch nei-gest du das Haupt und sprichts, doch nei-gest du das Haupt und

nur, was du ver - dient,

nur, was du ver - dient,

nur, was du ver - dient,

nur, was du ver - dient,

sprichst still-schwei-gend: ja, ja; doch nei - gest du das Haupt und sprichst still -

mehr ich nicht be - geh - - re!

mehr ich nicht be - geh - - re!

mehr ich nicht be - geh - - re!

mehr ich nicht be - geh - re!

schwei-gend: ja, still-schwei-gend, still - schweigend: ja, doch nei - gest du das Haupt und sprichst still - schwei - gend:

ja.

35 Aria

Molt' adagio

Er - zäh - le der Welt und dem Him - mel die Not, er -
zäh - le der Welt und dem Him - mel die Not: Dein Je - sus,
dein Je - sus ist tot, dein Je - sus, dein Je - sus ist
tot,
dein Je - sus ist tot, tot, tot, dein

36 Evangelista

Die Jü-den a-ber, die-weil es der Rüst-tag war, daß nicht die Leich-na-me am Kreu-ze blie-ben den Sabbath ü-ber (denn des-sel-bi-gen Sab-baths Tag war sehr groß), ba-ten sie Pi-la-tum, daß ih-re Bei-ne ge-bro-chen und sie ab-ge-nom-men wür-den. Da ka-men die Kriegsknechte und bra-chen dem er-sten die Bei-ne und dem an-dern, der mit ihm ge-kreu-zi-get war. Als sie a-ber zu Je-su ka-men, da sie sa-hen, daß er schon ge-stor-ben war, bra-chen sie ihm die Bei-ne nicht; son-dern der

37 Choral

O hilf, Chri - ste, Got - tes Sohn, durch dein bit - ter Lei - den, daß wir dir stets un - ter - tan all Un - tu - gend mei - den, dei - nen Tod und sein Ur - sach frucht - bar - lich be - den - ken, da - für, wie - wohl arm und schwach, dir Dank - op - fer schen - ken!

38 Evangelista

Dar-nach bat Pi-la-tum Jo-seph von A-ri-ma-thi-a, der ein Jün-ger Je-su war (doch heim-lich aus Furcht vor den Jüden), daß er möch-te ab-neh-men den Leichnam Je-su. Und Pi-la-tus er-lau-be-te es. De-ro-we-gen kam er und nahm den Leich-nam Je-su her-ab. Es kam a-ber auch Ni-ko-de-mus, der vor-mals bei der Nacht zu Je-su kommen war, und brachte Myr-rhen und A-lo-en un-ter ein-an-der bei hundert Pfun-den. Da nahmen sie den Leich-nam Je-su und bun-den ihn in lei-nen Tü-cher mit Spe-ze-

Dal 𝄋 al Fine

40 Choral

S. Ach Herr, laß dein lieb En - ge - lein am letz - ten End die See - le mein in
den Leib in seim Schlaf - käm - mer - lein gar sanft ohn ein - ge Qual und Pein ruhn

A.

T. Ach Herr, laß dein lieb En - ge - lein am letz - ten End die See - le mein in
den Leib in seim Schlaf - käm - mer - lein gar sanft ohn ein - ge Qual und Pein ruhn

B.

5 (12)

A - bra - hams Schoß tra - - - gen,
bis am jüng - sten Ta - - - ge! Als - denn vom Tod er -

A - bra - hams Schoß tra - - - gen,
bis am jüng - sten Ta - - - ge! Als - dem vom Tod er -

Appendix

win - det euch nicht so, ge - plag - te See - len, ach win - det euch nicht so, ge - plag - te See - len, bei

eu - rer Kreu - zes - angst und Qual, ach win - det euch nicht so, ge - plag - te See - len, bei

eu - rer Kreu - zes - angst und Qual, bei eu - rer Kreu - zes - angst und Qual!

ihr wer - det die - se grö -

- ßer, grö - ßer fin - den, ihr wer - det die - se grö - ßer fin - den, so

zäh - let auch die Men-ge eu - rer Sün - den, ihr wer - det die - se grö - ßer fin -

- den, ihr wer-det die - se grö - ßer fin - den!

da Capo

150

senza 8va bassa

© 1995 for this edition by Könemann Music Budapest Kft.
H-1137 Budapest, Szent István park 3.

K 2001

Distributed worldwide by
Könemann Verlagsgesellschaft mbH, Bonner Str. 126.
D–50968 Köln

Responsible co-editor: Tamás Zászkaliczky
Production: Detlev Schaper
Cover design: Peter Feierabend
Technical editor: Dezső Varga
Engraved by Kottamester Bt., Budapest

Printed by: Kossuth Printing House Co., Budapest
Printed in Hungary

ISBN 963 8303 68 9